le bus

le train

papi

le camion à benne

le vélo

l'ambulance

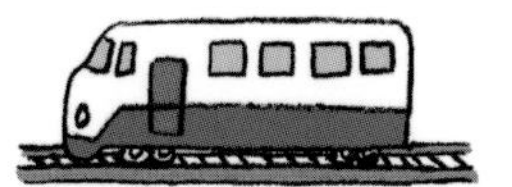

la locomotive

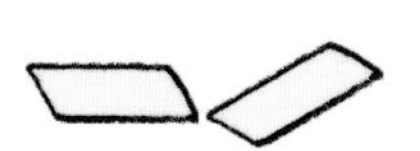

les tickets

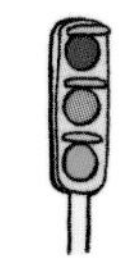

le feu

le camion-poubelle

les rails

l'hélicoptère

Un personnage de Thierry Courtin
Couleurs : Françoise Ficheux

Loi n°49-956 du 16 juillet 1949
sur les publications destinées à la jeunesse,
modifiée par la loi n°2011-525 du 17 mai 2011.

25 avenue Pierre de Coubertin, 75013 Paris
ISBN : 978-2-09-253727-5
Achevé d'imprimer en janvier 2014
par Lego, Vicence, Italie
N° d'éditeur : 10201590 - Dépôt légal : février 2012

T'choupi et les transports

Illustrations
de Thierry Courtin

Nathan

T'choupi
et

papi
se promènent en ville.

– Oh, dit T'choupi, tu as vu cette grosse voiture bleue ?

– C'est un

taxi
, répond papi.

TAXI

Un peu plus loin, T'choupi aperçoit

une 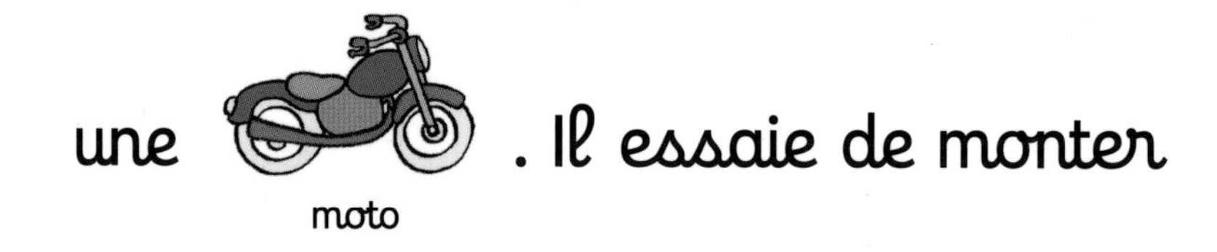

. Il essaie de monter

dessus, mais c'est haut !

– Vroum-vroum ! Je vais très vite, papi !

– Attention, tu n'as pas de casque,

dit papi en riant.

– Et si on continuait notre promenade ?

propose papi.

Mais attention ! Il faut s'arrêter

au passage piéton . Le feu est vert : c'est

au tour des  de passer.

voitures

– C'est quoi, ce gros camion qui avance

comme un escargot ?

– C'est le camion-poubelle ! explique papi.

Les éboueurs vident les  poubelles

à l'intérieur.

Pin-pon, pin-pon ! Qui arrive si vite ?

– C'est le  ! hurle T'choupi.

camion de pompiers

– Et voilà une ! ajoute papi.

ambulance

Il y a eu un accident… J'espère que ce n'est pas trop grave.

De l'autre côté de la rue, de gros engins

vont et viennent sur le chantier.

T'choupi s'arrête pour regarder.

La  transporte de la terre :

tractopelle

avec sa pelle, elle la verse dans

le  .

camion à benne

Tout à coup, T'choupi entend un bruit

au-dessus de sa tête :

– Oh, un avion dans le ciel !

– Non, dit papi, c'est un hélicoptère :

il a des hélices !

– Si on entrait dans la gare ?

T'choupi adore les trains :

il court vers les voies.

– Attention de ne pas tomber

sur les rails, T'choupi !

– Ce train, explique papi, c'est un TGV :

il est très rapide. Voici la 

locomotive

qui tire tous les  .

wagons

– Elle est forte, la locomotive !

s'exclame T'choupi.

Maintenant, il faut rentrer à la maison,

mais T'choupi est fatigué.

– On prend le bus, dit papi.

J'ai des tickets.

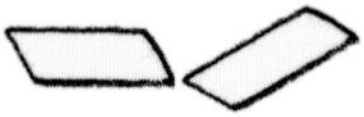

Papi a toujours de bonnes idées !

Dans le bus, papi prend T'choupi contre lui.

– La prochaine fois, on ira se promener

à 

. Tu verras comme c'est rigolo !

Retrouve sur ce dessin tout ce que T'choupi a vu...

un taxi
une moto
un casque
un passage piéton
un feu tricolore
une voiture
un camion-poubelle
un camion de pompiers
une ambulance
une tractopelle
un camion à benne
un avion
un hélicoptère
un train
des rails
une locomotive
des wagons
un vélo

Et dans la même collection ...